MW00637281

PAINS

DÉCORÉS

ET

PIÈCES ARTISTIQUES

PAINS

DÉCORÉS

ET PIÈCES ARTISTIQUES

ROGER AUZET
Meilleur Ouvrier de France

Traduction
Rebecca Reid

EDITIONS JEROME VILLETTE

TABLE DES MATIÈRES
CONTENTS

LES BASES
BASICS

Les pâtes inertes
Yeastless doughs

Pâtes à pain pour fabrication de pains-à-décorer
Bread doughs for loaves to be decorated

Autres recettes
Other recipes

© EDITIONS JÉROME VILLETTE, 1992
Tous droits de traduction, de reproduction
et d'adaptation réservés pour tous pays
ISBN 2-86547-022-9

LES COMPOSANTES DE DÉCORATION
THE DECORATIVE ELEMENTS

QUELQUES PAINS DÉCORÉS ET PIÈCES ARTISTIQUES
A FEW DECORATED LOAVES AND ARTISTIC ARRANGEMENTS

PREFACE

The work of the « artisan-baker » is the result of a highly-perfected art, rich with the experience of several generations. However, not only must the baker in question have mastered a technique which has been improved many times over, but he must also possess sound artistic taste to ensure that the fruit of his labours is shown at its very best. It is, in a sense, a question of confirming the craftsmanship behind the bread.

The key to the future of the artisan-baker lies in the construction of « differences ». It is up to each and every one to make his mark through the way he prepares his bread.

« Pains décorés et Pièces artistiques » ("Decorated Breads and Artistic Arrangements"), written by my colleague and friend, Roger Auzet, is a highly comprehensive work.

The strictly professional nature of the book makes it an ideal working tool for all members of our profession.

The book makes absorbing reading. Its pages reveal new ideas which are both surprising and attractive, with the help of precise instructions and high quality illustrations.

« Pains décorés et Pièces artistiques » is a remarkable book, of interest to all bakers with a keen desire to remain craftsmen in the true sense of the word.

J. Paquet

President of the Confédération nationale de la boulangerie

PRÉFACE

Le pain de l'artisan boulanger est le résultat de la parfaite maîtrise d'un savoir-faire riche de l'expérience de plusieurs générations. Mais au-delà de cette technique maintes fois améliorée, l'artisan boulanger doit posséder un goût très sûr pour mettre en valeur le fruit de son travail. Il s'agit en quelque sorte de confirmer au pain son caractère artisanal.

La clé de l'avenir de l'artisan boulanger est de construire des différences, à lui seul de se distinguer dans la confection de son pain.

« Pains décorés et Pièces artistiques » écrit par mon collègue et ami Roger Auzet, est un ouvrage très complet.

Le caractère résolument professionnel de ce livre en fait un outil de travail parfaitement adapté pour tous nos collègues.

Sa lecture est prenante, au fil des pages, l'on découvre des idées nouvelles qui étonnent et séduisent, des conseils précis, des illustrations de qualité.

« Pains décorés et Pièces artistiques » est un livre remarquable, destiné à tous les artisans qui ont l'enthousiasme de rester des hommes de métier.

J. Paquet

Président de la Confédération nationale
de la boulangerie

PREFACE

If ever there were a man for whom the Noble Art of Bakery, the different types of bread, the fermentation of doughs hold no secret, that man is Roger Auzet.

One of the great professionals of bakery, he is endowed with a rare sense of artistry, from whence his extraordinary skill with decorated breads and artistic arrangements. At an age when many would be thinking of retirement, Roger Auzet set himself a new challenge in preparing for the prestigious « Meilleur Ouvrier de France » ("Best French Craftsman") competition, which he won in 1989.

Roger Auzet is an example for our youth.
In his book : « Pains décorés et Pièces artistiques » ("Decorated Breads and Artistic Arrangements"), Roger Auzet reveals his many secrets, his dexterity, his tricks of the trade etc...This marvellous book explains all the movements in chronological order ; they are easy to understand and the end-result is assured.

Thank you, Roger Auzet, for passing on the knowledge you have acquired throughout your professional career.

At a time when the craft industry should be taking a serious look at its future, here is the ideal book to enable all professionals, apprentices or teaching staff to produce decorated breads or artistic arrangements with an aim to enriching our craft and highlighting its importance, bringing the focus onto the shop, to seduce customers and, in short, give a boost to sales.

I warmly recommend this book to all professionals of the bakery/pastry-making industries who wish to develop their skills.

Jacques Charrette

President of the Académie nationale de cuisine
Director of the Centre d'études pâtisserie
(for Research into Pastry-making)
at the Excel company

PRÉFACE

S'il est un homme pour qui le Noble Métier de Boulanger, les différentes variétés de pain, la fermentation des pâtes n'ont pas de secret, c'est bien Roger Auzet.

Ce grand professionnel de la boulangerie est doué d'un sens artistique hors du commun, d'où sa maîtrise des pains décorés et des pièces artistiques. A l'âge où beaucoup de professionnels pensent à la retraite, Roger Auzet s'est remis en question pour se préparer à passer le prestigieux concours du « Meilleur Ouvrier de France » qu'il réussit en 1989.

Roger Auzet est un exemple pour notre jeunesse.
Dans ce livre : « Pains décorés et Pièces artistiques », Roger Auzet nous communique tous ses secrets, tours de mains, astuces, etc.
Cet ouvrage magnifique détaille tous les mouvements dans l'ordre chronologique ; ils sont faciles à saisir et le résultat du travail est assuré.

Merci Roger Auzet de transmettre ton savoir et tes connaissances acquises tout au long de ta carrière professionnelle.

A l'heure où l'artisanat doit se remettre en question, voici le livre idéal qui va permettre à tous les professionnels, apprentis ou enseignants de réaliser des pains décorés ou des pièces artistiques pour s'enrichir, valoriser le métier et mettre en avant le magasin afin de séduire la clientèle, en un mot animer les ventes.

Je recommande ce livre à tous les professionnels de la boulangerie-pâtisserie qui désirent évoluer.

Jacques Charrette

Président de l'Académie nationale de cuisine
Directeur du Centre d'études pâtisserie
de la société Excel

FOREWORD

I would like, through this book, which represents for me the consecration of over 50 years in the profession, to pay homage to my grandfather and father. The first used to travel the roads of the southern Luberon to knead dough out in the country.
The other taught me my love of good bread.
They both opened up for me the divine path that the creation of bread and the symbol of leaven represent.

My wish is that my own experience in this profession, which has brought me such great satisfaction, should be an inspiration for generations to come.

You will find three strong basic themes running through this book :

A passion for the job
The strength to succeed
The beauty of the work

I hope that this passion for success in one's work will be a tool for those who love this craft, to help them in their professional life, and that the love of a job well done will help them to achieve their aims.

For in these difficult times for crafts such as ours which have suffered the indirect consequences of social and political history, there will always be a special place for those who retain a professional approach.

We have a duty, that duty is to perpetuate the skills passed on to us by our elders.
It is now the turn of those of you of the younger generations, who appreciate the skill behind a job well done, to continue, to develop and to transmit.

The author

AVANT-PROPOS

A travers cet ouvrage, qui pour moi est la consécration de plus de cinquante années de métier, je voudrais rendre hommage à mon grand-père et à mon père. L'un parcourait les routes du sud du Luberon pour aller pétrir dans les campagnes, l'autre m'a enseigné l'amour du bon pain.

Tous deux m'ont ouvert la voie divine que représentent la création du pain et le symbole du levain.

Je voudrais que l'expérience de cette carrière qui m'a apporté tant de satisfaction puisse inspirer les générations à venir.

Vous trouverez dans ce livre trois points forts :

L'amour du métier
La force de réussir
La beauté du travail.

Que cet amour de la réussite dans le travail soit pour ceux qui aiment ce métier un outil qui les aide à accomplir leur vie professionnelle et que l'amour du travail bien fait les aide à se réaliser.

Car dans ces temps difficiles, pour ces métiers qui ont subi les contrecoups de l'histoire sociale et politique, il y aura toujours une place de choix pour celui qui restera professionnel.

Nous avons un devoir, celui de perpétuer ce métier que nous ont enseigné nos aînés.
A vous jeunes générations, qui aimez l'art du travail bien fait, de continuer, de faire progresser et de transmettre à votre tour.

L'auteur

BREAD,
SOURCE OF LIFE

The history of bread is closely linked with the history of humanity. The development of cereal growing and breadmaking across the ages has followed a similar path to the evolution of mankind. This parallel evolution represents the history of civilisations, their migratory habits, their development or their disappearance, their joy or their sorrow.

Across the centuries, bread has been the essential foodstuff, the one each man could claim to, through his work... or through charity.

The history of wheat, the history of bread, are the very history of man, of his fight for survival and the life of his family. A fight to win the right to lead one's own life, a fight for liberty.

A relic of old pagan traditions, bread is associated with the important events of life : birth, baptism, communion, marriage, death, it is present in various forms as part of traditional ceremonies. Bread, source of life, prepared and decorated, as in the ritual ceremonies of old, still plays an important role in our most important festivities today, just as it provides our daily sustenance.

The art of loving one's bread is the art of choosing the very quality of one's life.

PAIN,
SOURCE DE VIE

L'histoire du pain est liée à celle de l'humanité.
Culture des céréales et panification à travers les âges ont évolué de façon similaire aux populations humaines. Cette évolution parallèle représente l'histoire des civilisations, leurs migrations, leur développement ou leur extinction, leur joie ou leur peine.

Durant des siècles, le pain fut la nourriture essentielle, celle à laquelle chacun pouvait prétendre grâce à son travail... ou à la charité.

L'histoire du blé, l'histoire du pain, c'est véritablement l'histoire des hommes, de leur lutte pour la vie, celle de leur famille. C'est une lutte pour gagner le droit à disposer d'eux-mêmes, lutte pour la liberté.

En survivance des vieilles traditions païennes, on associe le pain aux événements importants de la vie : naissance, baptême, communion, mariage, mort, sous diverses formes dans les fêtes traditionnelles. Le pain source de vie, préparé et décoré comme aux cérémonies rituelles d'antan, marque aujourd'hui encore nos fêtes les plus importantes de même qu'il est notre soutien de chaque jour.

Savoir aimer son pain c'est savoir choisir sa qualité de vie.

BREAD
AND LEGEND

A legend tells how, on Christmas morning in Provence, the villagers would take the bread they had made to the fountain, leave it on the side of the well, and take away a loaf left by another person.

The aim behind this tradition was to renew relations with certain neighbours or other inhabitants of the village with whom they may have had problems during the year.

Over the past few years, the fair at Cavaillon has provided the setting for the making of the "pain de Saint-Véran" (Saint-Véran's bread). On that day, the parish priest blesses the bread which is then distributed amongst the children and inhabitants of this good town, as a symbol of reconciliation and love between men.

History of bread, history of man, bread is the link which cements the love between them.

Breaking bread, drinking wine... What better thing to share among friends ?

PAIN
ET LÉGENDE

Une légende dit qu'en Provence, le matin de Noël, les habitants du village, ayant fabriqué leur pain, se rendent à la fontaine, le déposent sur la margelle et retirent à leur tour un pain laissé par une autre personne.

Cette tradition a pour but de renouer les relations avec certains voisins ou autres habitants du village avec qui ils auraient eu des problèmes au cours de l'année.

Depuis quelques années, à Cavaillon, à l'occasion de la foire, est réalisé le pain de la Saint-Véran. Ce jour-là, Monsieur le curé de la paroisse, bénit ce pain qui est ensuite distribué aux enfants et aux habitants de cette bonne ville, en signe de réconciliation et d'amour entre les hommes.

Histoire du pain, histoire des hommes, le pain est le lien et le ciment de l'amour entre eux.

Rompez le pain, buvez le vin… Qu'il y a t-il de plus beau à partager entre amis ?

LES BASES
THE BASICS

YEASTLESS DOUGHS

Yeastless dough n° 1

■ *For ears of wheat, leaves, vine stock, baskets.*

Water, approx	400 g	(14 oz)
Rye flour (type 80)	700 g	(24½ oz)
Wheat flour (type 55)	300 g	(10½ oz)
Salt	20 g	(¾ oz)
Sugar	50 g	(1¾ oz)
Fat	100 g	(3½ oz)

Knead for 5 to 6 minutes at n° 1 speed using the pallet (in the beater).
Keep under a plastic film.

Bake at 140-160°C (284-320°F) for 30 minutes. Baking time depends on the volume of dough to be cooked.

Yeastless dough n° 2

■ *For grape seeds, roses etc...*

Wheat flour (type 55)	500 g	(17½ oz)
Rye flour (type 80)	400 g	(14 oz)
Potato flour	100 g	(3½ oz)
Salt	20 g	(¾ oz)
Sugar	50 g	(1¾ oz)
Fat	100 g	(3½ oz)
Water	400 g	(14 oz)

Knead for 5-6 minutes at n° 1 speed in the beater using the flat beater (leaf-shaped blade). Place in the refrigerator for one hour under a plastic film before cutting.

Bake at around 140-160°C (284-160°F).
This dough (n° 2) can be used for almost all decorations.

Yeastless dough n° 3

■ *For parchments, various decorations, supports...*

Rye flour (type 80)	500 g	(1 ⅔ oz)
Wheat flour (type 55)	500 g	(17⅔ oz)
Sugar syrup (cold)	0.620 litre	(⅙ gal)

Knead at n° 1 speed for 5 minutes in the beater. Cover with a plastic film. Can be used straight away.

Syrup :		
Water	1 litre	(¼ gal)
Sugar	1000 g	(3¼ oz)
Glucose	400 g	(14 oz)

Bring to the boil.

Yeastless dough n° 4 (salted dough)

■ *For large pieces*

Wheat flour (type 55)	400 g	(14 oz)
Very refined salt	800 g	(28¼ oz)
Water	250 g	(8¾ oz)

Alternative dough :		
Wheat flour (type 55)	500 g	(17⅔ oz)
Potato flour	200 g	(7 oz)
Water	375 g	(13¼ oz)
Salt	500 g	(17⅔ oz)

Alternative dough : (for small pieces)		
Wheat flour	200 g	(7 oz)
Water	125 g	(4½ oz)
Salt	400 g	(14 oz)

Mix for 5 minutes using the pallet.

Bake in a very mild oven at 80-100°C (176°F-212°F). This is more of a prolonged drying process.

LES PATES INERTES

Pâte inerte n° 1

■ Pour épis de blé, feuilles, cep de vigne, paniers.

Eau environ..400 g
Farine de seigle (type 80) ....700 g
Farine de blé (type 55) ....300 g
Sel ....20 g
Sucre ....50 g
Matières grasses..100 g

Pétrir 5 à 6 min en première vitesse avec la palette (au batteur).
Tenir sous film plastique.

Cuisson 140 à 160°C pendant 30 min.
Le temps de cuisson dépend de l'importance du volume à cuire.

Pâte inerte n° 2

■ Pour grains de raisins, roses, etc...

Farine de blé (type 55) ....500 g
Farine de seigle (type 80) ....400 g
Fécule de pommes de terre ....100 g
Sel ....20 g
Sucre ....50 g
Matières grasses..100 g
Eau..400 g

Pétrir 5 à 6 min en première vitesse au batteur avec la "feuille" (batteur en forme de feuille). Mettre une heure au réfrigérateur sous film plastique avant la découpe.

Cuisson environ 140 à 160°C.
Cette pâte (n° 2) peut être employée pratiquement pour tous les décors.

Pâte inerte n° 3

■ Pour parchemins, pièces diverses, supports...

Farine de seigle (type 85) ....500 g
Farine de blé (type 55) ....500 g
Sirop de sucre (froid)..................................0,620 l

Pétrir 5 min en première vitesse au batteur. Couvrir d'un film plastique. Peut s'employer de suite.

Sirop :
Eau..1 l
Sucre ....1 000 g
Glucose..400 g

Porter à ébullition.

Pâte inerte n° 4 (pâte à sel)

■ Pour les grosses pièces.

Farine de blé (type 55) ....400 g
Sel très fin ....800 g
Eau..250 g

Autre pâte :
Farine de blé (type 55) ....500 g
Fécule de pomme de terre..............................200 g
Eau..375 g
Sel ....500 g

Autre pâte (pour petites pièces) :
Farine de blé ....200 g
Eau..125 g
Sel ....400 g

Mélanger pendant 5 min à la palette. Se cuit à four très doux 80 à 100°C. C'est plutôt un séchage prolongé.

BREAD DOUGHS
FOR LOAVES TO BE DECORATED

Recipe n° 1

Flour (type 55).............................1000 g (35¼ oz)
Salt..20 g   (¾ oz)
Yeast..20 g   (¾ oz)
Water ....550 g   (19½ oz)

Knead for 10 minutes at n° 1 speed in the beater, basis 56°C (132.8°F).
Dough at 25°C (77°F). Leave to stand for 20 minutes. Leave to rise 1 hour.
Bake for around 1 hour at 200°C (392°F) with condensation.
The bread should preferably be left to go stale for 24 hours before decorating.

Recipe n° 2

Rye flour (type 130).......................500 g   (17½ oz)
Wheat flour (type 55) ....500 g   (17½ oz)
Fermented dough (6 hours)..........1000 g (35¼ oz)
Salt..20 g   (¾ oz)
Yeast..20 g   (¾ oz)
Water ....550 g   (19½ oz)

Knead for 10 minutes at n° 1 speed in the mixer, basis 56°C (132,8°F).
Dough at 25°C (77°F). Leave to stand for 20 minutes.
Bake for 1¾ hours at 190-200°C (374-392°F) with condensation.

Recipe n° 3 (for decoration before baking)

Fermented dough
(12 hours of cold fermentation)...1 000 g (35¼ oz)
Wheat flour (type 55) ....250 g   (8¾ oz)
Salt...5 g   (⅙ oz)
Fat..50 g   (1¾ oz)
Yeast...5 g   (⅙ oz)
Water ....approx. 100 g (≈ 3½ oz)

Same type of preparation for the three recipes.
Make ball, leave aside for 10 min. Then, roll out slightly so the surface is even.

PÂTES À PAIN
POUR FABRICATION
DE PAINS-À-DÉCORER

Recette n° 1

Farine (type 55) ....1 000 g
Sel...20 g
Levure...20 g
Eau ....550 g

Pétrir 10 min en première vitesse au mélangeur, base 56°C.
Pâte à 25°C, pointage 20 min. Apprêt 1 h.
Cuisson 1 h environ, four à 200°C avec buée.
Il est préférable de laisser rassir le pain 24 h avant de le décorer.

Recette n° 2

Farine de seigle (type 130)..............................500 g
Farine de blé (type 55)....................................500 g
Pâte fermentée (6 h)....................................1 000 g
Sel...20 g
Levure...20 g
Eau ....550 g

Pétrir 10 min en première vitesse au mélangeur, base 56°C.
Pâte à 25°C, 20 min de pointage.
Cuire 1 h 15 environ au four à 190-200°C avec buée.

Recette n° 3 (pour décor avant cuisson)

Pâte fermentée
(12 h de fermentation au froid)....................1 000 g
Farine de blé (type 55)...................................250 g
Sel...5 g
Matière grasse ....50 g
Levure...5 g
Eau...environ 100 g

Même principe de fabrication pour les 3 recettes.
Bouler, laisser reposer 10 min. Ensuite, aplatir légèrement au rouleau pour l'égaliser.

OTHER RECIPES

Food paste

Wheat flour (type 55) .... 100 g   (3¹/₂ oz)
Water .... 250 g   (8³/₄ oz)

Put the water on to boil. Take off the heat. Sprinkle in the flour. Put back to boil, allowing to dry out with the help of a spatula, for two minutes.

Can be used as such or lightly coloured with mocha or patrelle fragrance.

Apply with a small knife or by hand.

Gelatine

Creates a "natural" wood-like colour and helps to strengthen the products.

Soften one by one 25 sheets of gelatine in cold water, wring them out, and heat them in 250 g (8³/₄ oz) of water. Stir, using a spatula to dissolve the sheets. Never boil.

Brush the bread pieces with patrelle fragrance, place them back in the oven for 4 or 5 minutes at 180°C (356°F).

The gelatine should be used hot on products placed on a wire rack.

Apply with a brush.

Glaze

Whole eggs + 20% water and a pinch of salt.
Apply with a brush.

Writing dough

Mocha
Sieved flour
Ketchup

Make a dough. Mix well using a spatula until the desired consistency for writing with a cone is obtained.

Place in the oven for 5 minutes at 160°C (320°F) for the writing to dry out.

AUTRES RECETTES

Colle alimentaire

Farine de blé (type 55).................................100 g
Eau ....250 g

Mettre l'eau à bouillir. Retirer du feu. Mettre la farine en pluie. Remettre à bouillir en desséchant avec une spatule pendant 2 min.

S'emploie tel quel ou légèrement coloré avec du moka ou arôme patrelle.

Application au petit couteau ou à la main.

La gélatine

Pour donner la couleur "naturelle" du bois et pour consolider les produits fabriqués.

Assouplir une à une 25 feuilles de gélatine dans de l'eau froide, les essorer, les mettre sur le feu dans 250 g d'eau. Remuer à l'aide d'une spatule pour dissoudre les feuilles. Ne jamais faire bouillir.

Badigeonner vos pièces à l'arôme patrelle, puis les remettre au four pendant 4 ou 5 min à 180°C.

La gélatine doit être utilisée chaude sur vos produits mis sur une grille.

L'appliquer au pinceau.

La dorure

Œufs entiers + 20% d'eau + pincée de sel.
Application au pinceau.

Appareil d'écriture

Moka
Farine tamisée
Ketchup

Faire une pâte. Bien mélanger à la spatule afin de lui donner la consistance voulue pour écrire au cornet papier.

Mettre au four 5 min à 160°C pour sécher l'écriture.

LES COMPOSANTES DE DÉCORATION

THE DECORATIVE ELEMENTS

LES ROSES
ROSES

Pâte inerte n° 2
Yeastless dough n° 2

Etaler un morceau de pâte de 200 g environ sur le marbre (ne pas employer trop de pâte à la fois).

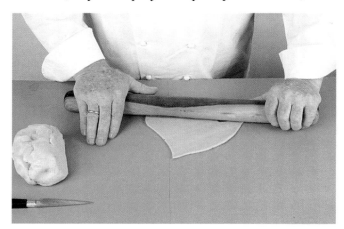

Roll out around 200 g (7 oz) of dough on the marble (do not use too much dough at a time).

Détailler des rondelles de pâte avec un emporte-pièce uni du diamètre désiré.

Mark out the details using a punch.

Couvrir d'une feuille de plastique puis, avec les pouces, amincir les bords du pétale.

Place a plastic sheet on top, then, using the thumbs, thin out the edges of the petal.

Faire le bouton de rose avec une petite boule de pâte puis placer progressivement les pétales autour, à cheval l'un sur l'autre.

Form the rosebud with a small ball of dough and progressively place the petals one around the other.

On peut faire des roses de 6, 8, 10 pétales et plus. Ensuite leur donner la forme. Les ranger sur un rond en carton. Laisser sécher 5 à 6 heures avant l'emploi.
Suivant le décor que l'on veut obtenir, on cuit les roses séparément (four à 160°C pendant 40 min).

You can make roses with 6, 8, 10 petals or more. Next, mould them into shape. Place them on a cardboard circle. Dry for 5-6 hours before using. According to the desired decoration, bake the roses separately (160°C-320°F oven) for 35 to 40 minutes.

LES FEUILLES DE ROSE
ROSE LEAVES

Pâte inerte n° 2
Yeastless dough n° 2

Abaisser la pâte assez mince.
Découper les feuilles à l'aide d'un emporte-pièce.

Roll out the pastry until it is fairly thin.
Cut out the leaves using a punch.

Donner la forme des nervures à l'aide d'une empreinte, en intercalant une feuille de plastique.

Form the shape of the veins using a stamping device, placing a plastic sheet in between.

A l'aide d'un ébauchoir, amincir le bord des feuilles.

Using a trimmer, cut around the edges of the leaves.

Les placer en leur donnant diverses formes sur une alvéole d'œufs en carton.

Position them, moulding them into various shapes on the inside of a cardboard eggbox.

Laisser sécher 5 à 6 heures avant l'emploi.
Cuire à 140°C pendant 30 min.

Leave to dry for 5-6 hours before using.
Bake for 30 min at 140°C (284°F).

LE MELON
MELON

Pâte n° 3
Dough n° 3

Première méthode :
Faire une boule de pâte de la grosseur d'un poing. La déposer sur un socle creux pour qu'elle conserve bien sa forme.
Laisser sécher 24 heures. Ensuite, mettre au four à 150°C pendant 1 heure.
Pour former l'écorce, aplatir de la pâte inerte n° 3, jusqu'à une épaisseur de 1,5 cm. Sitôt pétrie, mouiller à l'eau la face qui constituera l'intérieur et recouvrir la première boule de pâte en faisant pression sur la pâte, d'abord sur les côtés ensuite de bas en haut.

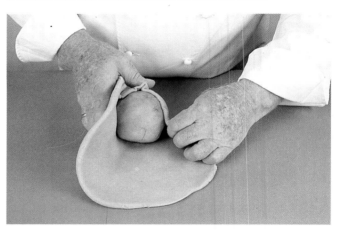

First method :
Form a fist-sized ball. Place on a concave surface so that the base does not become flat. Allow to dry for 24 hours. Then place in the oven at 150°C (302°F) for 1 hour.
To make the skin, roll out some n° 3 yeastless dough, to a thickness of 1.5 cm (1/2 in).
As soon as it is kneaded, dampen the inside with water and cover the first ball of dough, pressing first around the edges and then from to top bottom.

Faire pression avec le dos de la lame d'un couteau pour marquer les tranches du melon.

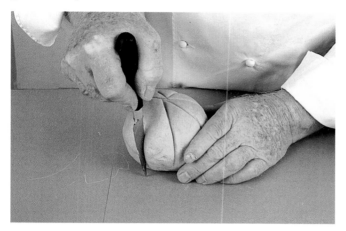

Press down using the back of a knife blade to mark out the melon slices.

Modeler une petite rondelle de 3 cm de diamètre avec une queue au centre et l'appliquer au sommet du melon.
Laisser sécher 6 heures. Mettre au four préchauffé à 130°C pendant 2 heures environ à l'arrêt.

Form a small circle, 3 cm (1¼ in) in diameter, with a stalk in the center, and stick it to the top of the melon. Leave to dry for 6 hours. Bake in an oven (switched off) preheated to at 130°C (266°F) for around 2 hours.

Deuxième méthode (pour décor de vitrine seulement) :
Faire une boule en papier aluminium, de la grosseur désirée. Aplatir la pâte à 1 cm d'épaisseur. Recouvrir de pâte la boule de papier aluminium. Bien marquer les tranches avec un couteau. Laisser sécher 3 ou 4 heures. Ensuite procéder selon la première méthode.

Second method (only for window decoration) :
Form a ball of aluminium foil of the desired size. Roll out the dough to a thickness of 1 cm (1/3 in). Cover the ball of foil with the dough. Clearly mark out the slices with a knife. Leave to dry for 3-4 hours. Then proceed as with the first method.

Si on ne veut pas colorer, on peut à la sortie du four vaporiser légèrement de l'eau teintée par un peu de moka pour lui donner une couleur "pain".

If you do not wish to colour it, you can, on taking it out of the oven, spray it lightly with water coloured with mocha to give it a "bread" colour.

LES TRANCHES DE MELON
MELON SLICES

Pâte n° 3
Dough n° 3

Prendre 500 g de pâte environ que l'on boule sitôt après le pétrissage. Faire comme pour le melon (première méthode) : poser dans une forme creuse pour éviter que le fond ne soit plat ; marquer les tranches avec un couteau. Laisser sécher 7 à 8 heures au réfrigérateur couvert d'un torchon.
Ensuite, couper des tranches que vous mettez à plat et cuire à 120°C pendant 2 heures. Bien sécher. Faire les graines (voir pages 30-31), cuire à 100°C pendant 1 h 30.

Take around 500 g (17½ oz) of dough and roll out immediately after kneading. Follow the same process as for the melon (first method) : place on a concave surface to ensure that the base is not flat ; mark out the slices with a knife. Leave to dry for 7-8 hours in the fridge covered with a cloth.
Next, cut up the slices, place them on a flat surface and bake at 120°C (248°F) for 2 hours. Dry thoroughly. Make the seeds (see pages 30-31), bake at 100°C (212°F) for 1 h 30.

Si l'on veut et c'est plus naturel, on peut colorer en teinte pastel l'écorce du melon ainsi que sa chair.

If you wish, and it looks more natural, you can colour the skin and flesh of the melon with a pastel-coloured dye.

LES GRAINES DE MELON
MELON SEEDS

Pâte inerte n° 2
Yeastless dough n° 2

Using yeastless dough n° 2, form small finger shapes.

Les détailler en petits tronçons que l'on arrondit dans le creux de la main. Puis, les ovaliser et les aplatir légèrement.

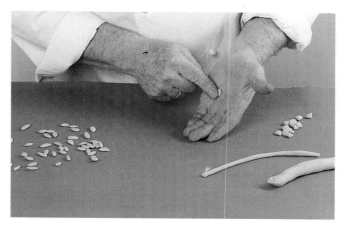

Cut these into small pieces and roll them between the palm of the hand and the index finger. Next, form the pieces into oval shapes and flatten them slightly.

Mettre sur plaques. Laisser sécher 1 heure.
Mettre au four à 130°C pendant 45 minutes. Laisser refroidir.
Si vous désirez donner la couleur naturelle de la graine, mettre quelques gouttes de colorant jaune dans un peu d'eau. Trempez les graines puis les mettre à sécher sur un tamis.
Les coller sur les tranches avec la colle alimentaire.

Leave to dry on an oven-plate for one hour. Bake in the oven at 130°C (266°F) for 45 minutes. Leave to cool.
If you wish to create the natural colour of the seed, add a few drops of yellow colouring to a little water. Soak the seeds in the solution and leave them to dry on a wire tray.
Stick them onto the slices using food paste.

LA CORNE D'ABONDANCE
HORN OF ABUNDANCE

Pâte inerte n° 1
Yeastless dough n° 1

Prendre un moule à pièce montée, le graisser puis le recouvrir de papier cuisson ou d'aluminium et former le haut de la corne avec celui-ci.
L'enduire de dorure.

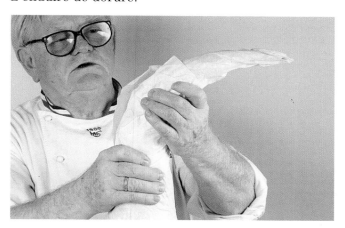

Take a mould for a tiered cake, grease it and cover it with cooking paper or foil and use this to form the top of the horn.
Cover with glaze.

Avec la pâte n° 1, faire des bandes que l'on enroule autour du moule en commençant par le bas.
Cuire à 170°C pendant 1 h 30.

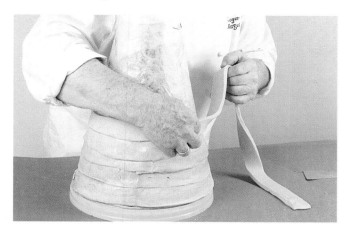

Using dough n° 1, make strips and wind them around the mould starting at the bottom.
Bake at 170°C (338°F) for 1 1/2 hours.

Faire ensuite un enduit à la farine de seigle (type 80) et eau. Enduire la pièce à la main avec cet appareil et cuire 15 à 20 min, four à 170°C.

Next, make a coating using rye flour (type 80) and water. Coat the piece by hand using this and cook for 15 to 20 minutes in a 170°C oven (338°F)

Démouler avant complet refroidissement.

Turn out of mould when thoroughly cooled.

LA TRESSE D'AIL
STRING OF GARLIC

Pâte inerte n° 2
Yeastless dough n° 2

Avec 2 kg de pâte faire 3 boudins : 2 de 400 g, 1 de 600 g. Les coller ensemble en ayant soin de faire une anse sur le haut avec le plus long. Tresser ensuite les 3 boudins jusqu'en bas.

Une fois la tresse terminée, faire des boules de 60 g. Les modeler en forme de poires. En partant de la base, tracer avec la lame d'un couteau les divisions des gousses (voir Le melon, page 28). Avec le doigt, creuser la base de la tête afin de lui donner sa forme réelle.

Coller à l'eau chaque tête d'ail sur la tresse, en incisant légèrement la tresse.

Using 2 kg (4¹/₂ lb) of yeastless dough n° 2, form 3 long rolls of dough : 2 of around 400 g (14 oz) and one around 600g (21 oz).

Stick together, taking care to use the longest to make a handle at the top. Next, plait the 3 rolls down to the bottom.

Once the plait is finished, form balls of around 60 g (2 oz). Model them into pear-shaped pieces. Starting at the bottom, mark out the divisions between the cloves with the blade of a knife (see Melon, page 28). Using a finger, hollow out the base of the head to give it the right shape.

Stick each head of garlic to the plait with water, making small incisions in the plait.

Ne pas oublier d'ajouter au sommet de chaque tête les racines que l'on aura faites à l'aide d'un presse-ail (toujours avec la même pâte).
Cuire à 170°C pendant 2 heures.

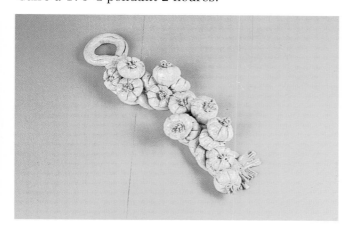

Do not forget to add roots to the top of each head, these are made with the help of a garlic press (using the same dough).
Bake at 170°C (338°F) for 2 hours.

LES POIREAUX
LEEKS

Allonger à la main des morceaux de pâte de la grosseur désirée (60 g par exemple) de 18 à 20 cm. Aplatir la moitié, c'est-à-dire environ 10 cm qui représentera la partie verte du poireau.
Puis entailler cette partie plate en 5 ou 6 pour former les feuilles du poireau.

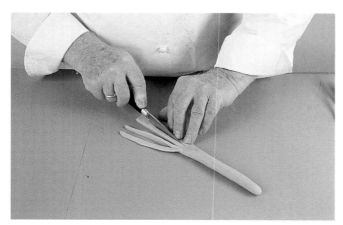

Stretch out by hand several pieces of dough of the desired size (e.g. 60 g = 2 oz), 18-20 cm (7-8 in) long. Roll out half of each one, i.e. around 10 cm (4 in) to represent the green part of the leek.
Next, split the flat part into 5 or 6 layers to form the leaves.

Ensuite, à l'aide de ciseaux, faire les racines du poireau.

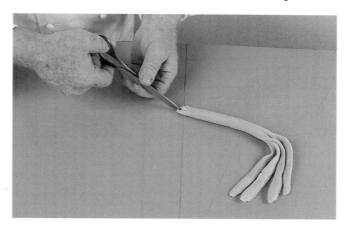

Then, using scissors, make the roots of the leek.

Glisser quelques bouts de papier d'aluminium entre les feuilles du poireau pour donner du mouvement. Laisser sécher 1 h, cuire à 180°C pendant 35 à 40 min.

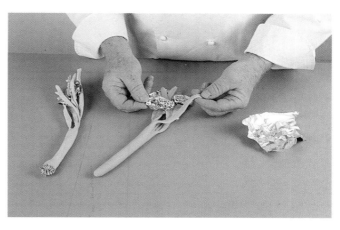

Slip a few pieces of aluminium foil between the leaves of the leek to give an impression of movement. Leave to dry for 1 hour. Bake at 180°C (356°C) for 35-40 minutes.

Une fois froides, colorer les feuilles en vert, mais toujours de teintes pastel.
Voir les poireaux dans la corne d'abondance.

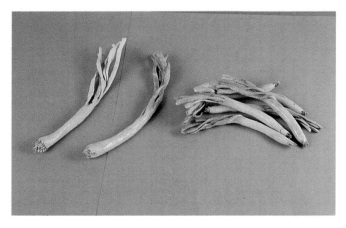

Once cooled, colour the leaves a pastel green.
See leeks in horn of abundance.

LA GOUSSE DE PETITS POIS
PEA POD

Pâte inerte n° 2
Yeastless dough n° 2

Aplatir aussi fin que possible un morceau de pâte. Découper un losange qui formera la gousse du petit pois.

Roll out, as thinly as possible, a few pieces of dough.
Cut out a diamond shape to form the pea pod.

Faire un bâtonnet de pâte et découper à l'aide d'un couteau d'office, des petits morceaux de pâte. Les rouler dans le creux de la main pour former les petits pois (voir Les graines de melon, page 30). Humecter l'intérieur de la gousse et y placer 5 à 6 petits pois.

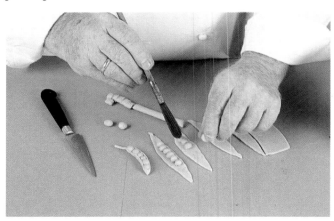

Form a long, thin roll of pastry and cut into small pieces with a knife. Roll the pieces in the palm of the hand to form the peas (see Melon seeds, page 30). Moisten the interior of the pod and place 5-6 peas inside.

En appuyant aux 2 extrémités, refermer aux 3/4 afin qu'ils soient en partie visibles. Cuire 30 min à 160°C.

Pressing on both ends, close up 3/4 of the length of the pod so that some of the peas are visible. Bake for 30 minutes at 160°C (320°F).

De même que les poireaux, teinter les pois légèrement en vert.
Voir les petits pois dans la corne d'abondance.

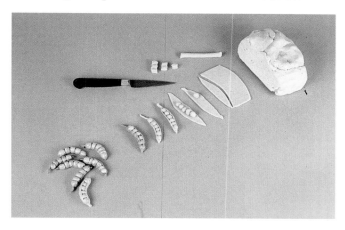

As with the leeks, colour a pastel green.
See peas in the horn of abundance.

LA BOTTE D'ASPERGES
BUNCH OF ASPARAGUS

Pâte inerte n° 3
Yeastless dough n° 3

Prendre 1 kg de pâte inerte pour faire environ une vingtaine d'asperges (la valeur d'une botte).
Découper des morceaux de 50 g environ. Ne pas faire des morceaux trop réguliers car les asperges d'une botte ne sont que très rarement de la même grosseur.
Allonger ces morceaux de pâte à la main jusqu'à une longueur de 15 cm. Couper au couteau une extrémité ; arrondir l'autre pour faire la tête de l'asperge.
Tailler, avec la pointe des ciseaux, la tête de l'asperge sur 2 cm.

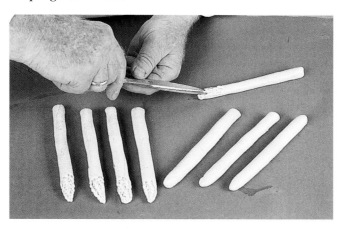

Take 1 kg (2¼ lb) of yeastless dough to make around 20 asparagus (the equivalent of a bunch). Cut out pieces of around 500 g (17½ oz) Do not make them too regular as the various asparagus forming a bunch are rarely of the same size.
Stretch out the pieces of dough by hand to a length of 15 cm (6 in). Cut one end with a knife, round off the other end to make the head of the asparagus.
Sharpen the first 2 cm (3/4 in) of the asparagus head using the ends of a pair of scissors.

Cuire les asperges sur papier sulfurisé à 180°C pendant 35 min environ.
Colorer les têtes des asperges avec un peu de colorant alimentaire vert délayé d'eau. Coller les asperges entre elles pour former la botte à l'aide de la colle alimentaire. Pour plus de réalité, former un ruban autour de la botte avec un peu de pâte colorée au moka.
Passer le tout au four pour cuire le ruban et sécher la colle alimentaire.

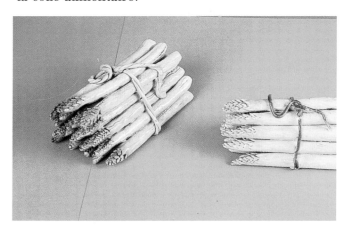

Bake the asparagus on greaseproof paper at 180°C (356°F) for around 35 minutes.
Colour the asparagus heads with a little green food colouring diluted in a small amount of water. Stick the asparagus together to form a bunch using food paste. To give a more realistic effect, form a ribbon around the bunch using a little dough coloured with mocha.
Place the whole bunch in the oven to cook the ribbon and dry the paste.

LE CEP DE VIGNE
VINE STOCK

Pâte inerte n° 2
Yeastless dough n°2

Prendre 250 à 300 g de pâte ; allonger ce morceau de pâte à la main et le vriller très légèrement. Fendre en quatre la moitié de celui-ci à l'aide d'un couteau d'office pour faire les sarments.

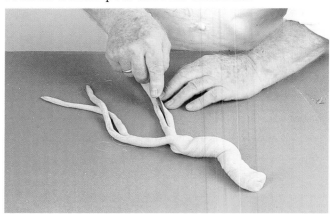

Take 250-300 g (8³/₄-10¹/₂ oz) of dough ; roll out the piece of dough by hand and twist it slightly. Split half of it into four using a knife to form the vine shoots.

A l'aide de papier aluminium donner un mouvement au cep et aux sarments. Laisser au repos 2 h. Cuire 2 h à 160°C.

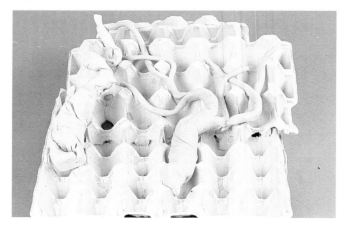

Use aluminium foil to give movement to the vine stock and shoots and leave for 2 hours. Bake at 160°C (320°F) for 2 hours.

A la sortie du four, vaporiser à l'arôme patrelle, remettre 10 min au four, ensuite à l'aide d'un pinceau très souple, badigeonner de gélatine bien chaude. Laisser sécher jusqu'au lendemain.

Ajouter une queue à la feuille et la coller à la dorure (sous la feuille). A l'aide d'un ébauchoir amincir le pourtour de la feuille. Ensuite dessiner les nervures au couteau.

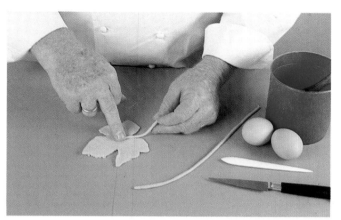

Once out of the oven, spray with patrelle fragrance, put back in the oven for 10 minutes, then, using a very flexible brush, coat with hot gelatine. Leave to dry until the next day.

LES FEUILLES DE VIGNE
VINE LEAVES

Pâte inerte n° 2
Yeastless dough n°2

Faire des gabarits en carton de plusieurs tailles. Aplatir votre pâte assez mince. Découper des feuilles de plusieurs grandeurs.

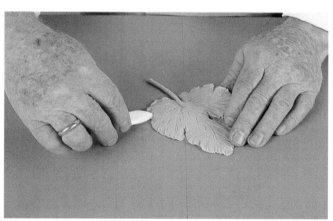

Add a stalk to the leaf, stick it to the glaze (under the leaf). Using a trimmer, thin out the edges of the leaf. Then draw on the veins with a knife.

Make cardboard templates of several sizes. Roll out the dough very thinly. Cut out the leaves in different sizes.

Ensuite étaler les feuilles sur une grille de cuisson du four rotatif, ou mettre des épaisseurs (bouts de papier,... ou d'aluminium) sous les feuilles pour leur donner un mouvement. Dorer à l'œuf.

Next, spread the leaves out on a cooking rack from a rotating oven, or place layers (pieces of paper or aluminium foil) under the leaves to give them movement.Use egg to glaze.

Laisser sécher 5 à 6 heures avant l'emploi.
Cuire à 160°C pendant 30 min.

Leave to dry for 5 to 6 hours before use. Bake at 160°C (320°F) for 30 min.

LA GRAPPE DE RAISINS
BUNCH OF GRAPES

Pâte inerte n° 2
Yeastless dough n° 2

Prendre un morceau de pâte d'environ 200 g. L'allonger et à l'aide d'un petit couteau d'office couper des morceaux de la grosseur désirée.

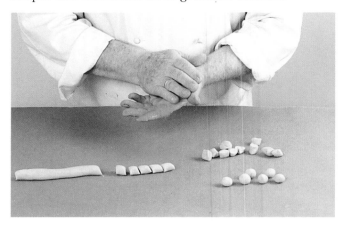

Take around 200 g (7 oz) of dough. Spread out using a small knife and cut pieces to the desired size.

Les rouler ensuite dans le creux de la main.
Mettre sur plaque ou sur papier cuisson.
Laisser sécher 3 ou 4 heures.

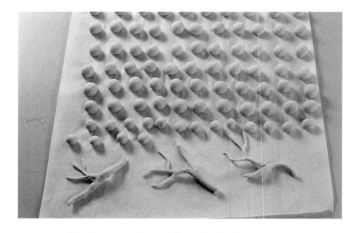

Next, roll them in the palm of the hand. Place on a baking sheet or on cooking paper. Leave to dry for 3 or 4 hours.

Ensuite, faire une dorure normale (jaune et blanc d'œuf) et tremper les grains de raisin. Egoutter et les mettre de suite sur plaque.

Cuire à 150°C (sole fixe four électrique) pendant environ 35 min. Les ranger sur grille.

Pour assembler une grappe de raisins, faire un sarment qui supportera la grappe et les feuilles avec de la pâte inerte n° 2.

Monter la grappe en triangle par une première couche de raisins, puis une deuxième couche, en laissant de chaque côté un espace sur la première couche. De même, une troisième en laissant toujours un espace afin de donner à la grappe un beau renflement.

Coller tout ceci à la colle alimentaire.

Stick the pieces together with food paste.

Coller feuilles et vrilles sur le sarment et la tige.

Stick leaves and tendrils onto the stem and stalk.

Next, prepare a normal glaze (egg yolks and whites) and soak the grape seeds. Drain and place immediately on the baking sheet.

Bake at 150°C (302°F) (fixed hearth, electric oven) for around 35 minutes. Arrange afterwards on a wire rack.

To assemble a bunch of grapes, make a stem which will support the bunch and the leaves using yeastless dough n° 2. Assemble the bunch in a triangular shape forming a first layer of grapes, then form a second layer, leaving spaces on each side revealing the first layer. In the same way, add a third layer, again leaving a space to give the bunch a voluminous effect.

LES ÉPIS DE BLÉ
EARS OF WHEAT

Pâte inerte n° 1
Yeastless dough n° 1

Couper et allonger des morceaux de pâte : 300 g pour 12 épis, en faisant pression sur le centre pour faire 2 épis à la fois.

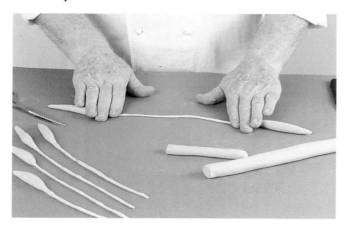

Cut and roll out pieces of pastry : 300 g (10½ oz) for 12 ears, pressing on the centre to form 2 ears at a time.

Puis avec un couteau d'office faire 3 entailles longitudinales sur la partie renflée, qui donneront leur forme aux grains de blé.

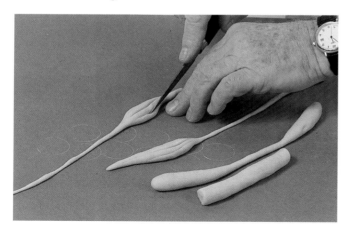

Then, using a knife, make 3 longitudinal notches in the bulbous part, these will give shape to the grains of wheat.

Avec des ciseaux tenus légèrement inclinés vers soi, entailler la pâte à cheval sur chaque sillon pour former les grains de blé, au centre d'abord, à gauche puis à droite.

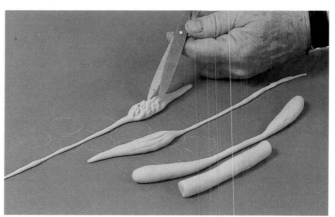

With scissors leaning slightly towards you, make notches in the dough cross each furrow to form the grains of wheat, starting at the centre, then left and then right.

Pour les feuilles, découper un morceau de pâte, l'allonger et l'aplatir.

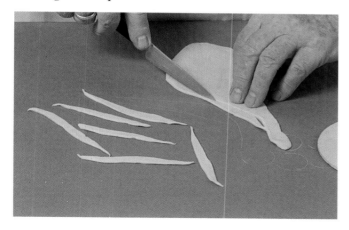

For the leaves, cut a piece of dough, roll it out and press it flat.

Puis avec une feuille de plastique lui donner sa forme et dessiner les nervures avec un couteau d'office.

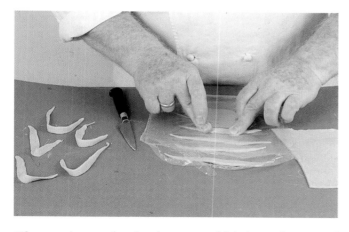

Then, using a plastic sheet, mould it into shape and draw on the veins with a knife.

Assembler les feuilles sur les tiges des épis en donnant une forme légèrement retombante aux feuilles.
Dorer le tout (recette page 23, chapitre 1).
Cuire 30 min à 150°C.

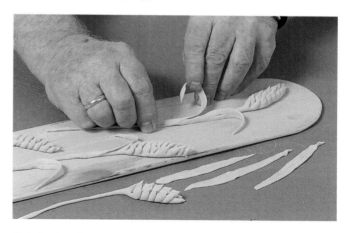

Stick the leaves onto the stems giving a slightly drooping effect.
Glaze. (Recipe page 22, chapter 1).
Bake for 30 min at 150°C (302°F)

LES PANIERS
BASKETS

Pâte inerte n° 1
Yeastless dough n° 1

Recouvrir de papier cuisson un cul de poule légèrement graissé et enduire le papier de dorure.

Cover a deep basin with slightly greased cooking paper and coat the surface of the paper with glaze.

Faire des lanières rondes ou tressées avec la pâte.

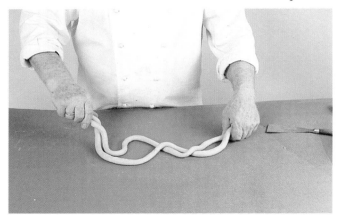

Cut round or plaited strips of dough.

Les enrouler tout autour du moule en partant du bas jusqu'en haut.

Place them all around the mould, from bottom to top.

Dorer et mettre au four à 170°C (sole fixe) environ 1 h 30. (Si l'on désire donner une couleur brune au moka, ne pas dorer avant la mise au four). Démouler après refroidissement.
Faire une anse, la cuire et la coller sur les rebords du panier à la colle alimentaire.

Glaze and place in the oven at 170°C (338°F) (fixed hearth). Bake for around 11/2 hours. (Do not glaze before placing in the oven if you wish to give a brown colour using mocha). Turn out of the mould after cooling.
Make a handle, bake, and stick on to basket using food paste.

LES FEUILLES DE LAITUE
LETTUCE LEAVES

Pâte n° 3
Dough n° 3

Faire un gabarit en carton en prenant modèle sur une feuille de salade (laitue). Découper une abaisse de pâte ; toujours amincir le pourtour avec les pouces.

Make a cardboard template using a lettuce leaf as a model. Cut up some rolled out pastry ; then thin out the edges with your thumbs.

Avec les doigts (entre pouce et index) marquer les nervures de la feuille.

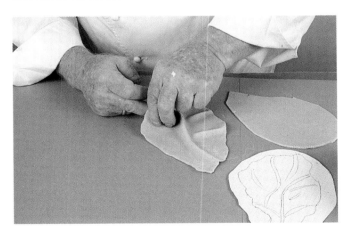

Using your fingers (between thumb and index), mark out the veins of the leaf.

Laisser sécher et donner un peu de forme en mettant dessous, par endroits, du papier aluminium.

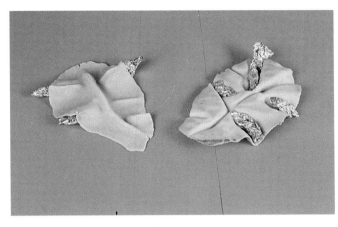

Leave to dry and give it a little shape by putting aluminium foil underneath in places.

Laisser sécher 5 à 6 heures ; cuire à four doux (160°C) pendant une heure.
On peut colorer de teinte pastel très claire (vert et jaune).

Leave to dry for 5 to 6 hours ; bake in a mild oven at 150°C (302°F) for one hour.
It can be tinted with a very light pastel colouring (green or yellow).

LES MARGUERITES
DAISIES

Pâte inerte n° 3
Dough n° 3

Abaisser, assez mince, de la pâte inerte n° 3 à 2 mm d'épaisseur. Découper à l'aide d'un emporte-pièce uni des ronds de 5 cm de diamètre. Couper ces ronds en 4 parties égales.
Faire 4 pétales avec l'emporte-pièce. Pour chaque marguerite, prévoir 8 pétales.
Humidifier le bord du pétale avec un pinceau préalablement mouillé à l'eau afin de les coller entre eux.
A l'aide d'un tamis, fariner légèrement les pétales. Découper un petit rond de pâte qui représentera les pistils.
Mouiller ce rond de pâte, le couvrir de grains de pavot ; veiller à ce qu'il soit entièrement recouvert de pavot. Mouiller également l'autre côté pour le coller au centre de la marguerite.

GABARIT MÉTALLIQUE
METAL TEMPLATE

Il sera parfois nécessaire de faire exécuter un gabarit en métal pour certaines pièces, comme, par exemple, le violon.

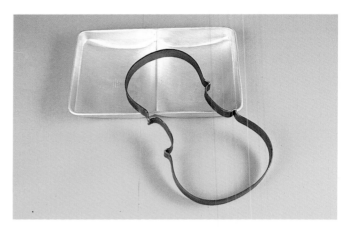

It may sometimes be necessary to have a metal mould made, for pieces such as the violin, for instance.

Roll out some n° 3 yeastless dough thinly (around 2 mm=3/4 in). Form circles 5 cm (2 in) in diameter with the help of a cutter. Cut the circles into 4 equal parts.
Make 4 petals using the cutter. Allow for 8 petals per daisy.
Moisten the edge of the petal with a brush dipped in water, so that the petals can be stuck together.
Using a sieve, dust the petals with flour, cut out a small circle of dough to represent the pistils.
Dampen the circle of dough, cover it with poppy seeds, making sure that it is entirely covered.
Dampen the other side too, so that it can be stuck to the centre of the daisy.

DERNIERS CONSEILS
SOME FINAL PIECES OF ADVICE

Pour décorer un pain, on peut procéder de plusieurs façons :

- directement « sur le pain avant cuisson » (voir recette pain-à-décorer n° 3), en utilisant un décor plus léger ;
- directement sur le pain cuit au 4/5e, en utilisant également un décor léger sur le centre du pain, pour éviter qu'il ne s'enfonce lors de la cuisson du décor ;
- directement sur la croute du pain cuit la veille : le décor sera confectionné 5 ou 6 heures avant (pour avoir le temps de sécher) et collé à la dorure ;
- sur un fond assez mince en pâte inerte n° 2 et collé à la dorure sur un pain-à-décorer cuit. Cuire le tout pendant 30 min à 180°C (356°F). Tous les décors de son imagination peuvent être montés ainsi. Les coller à la colle alimentaire.

To decorate a loaf, several methods can be used :

- *directly « on the bread before baking » (see recipe for loaf for decorating n° 3), using a lighter decoration ;*
- *directly on the bread, 4/5 cooked, once again using a light decoration on the centre of the bread to avoid it sinking in when the decoration is baked ;*
- *directly on the crust of bread baked the previous day : the decoration is to be made 5 or 6 hours before, to leave it time to dry out, and stuck to the glaze ;*
- *on a fairly thin base, using unyeasted dough n° 2, stuck to the glaze on a baked loaf for decorating. Bake the whole loaf for 30 min at 180°C (356°F). All types of decoration imaginable can be assembled in this way. Stick together using food paste.*

QUELQUES PAINS DÉCORÉS ET PIÈCES ARTISTIQUES

A FEW DECORATED LOAVES AND ARTISTIC ARRANGEMENTS

PANIERS DE PETITS PAINS PERSONNALISÉS

Fabriquer deux paniers (voir page 41), quelques feuilles de laitue (voir page 43)
et des petits pains oblongs. Ecrire un prénom sur chaque pain avec l'appareil d'écriture (page 23).

BASKETS OF PERSONALISED BREAD ROLLS

*Make two baskets (see page 41), a few lettuce leaves (see page 43) and a few oblong-shaped
bread rolls. Write a name on each roll with the writing dough (page 22).*

PAIN-MARGUERITE

Prendre une boule de pâte à "pain à décorer" de 1 à 1,5 kg. Après 15 min de repos en boule, aplatir régulièrement au rouleau jusqu'à 3 cm d'épaisseur. Mettre un rond en carton de 4 cm de diamètre au centre et couper 16 "pétales" en partant du bord du carton. Puis, retourner un à un les pétales d'un demi-tour, fariner légèrement, enlever le carton du milieu.
Mouiller à l'eau et couvrir la partie centrale de graines de pavot. Décorer d'une petite marguerite (voir page 44 au centre du pain. Apprêt 45 min. Cuisson 1 h.

DAISY-BREAD

Take a ball of dough for a "loaf for decorating" — 1 to 1.5 kg (2-3$\frac{1}{3}$ lb. After leaving aside for 15 minutes in a ball, roll out evenly to a thickness of 3 cm (1 in). Place a cardboard circle, 4 cm (1$\frac{1}{2}$ in) in diameter, in the centre and cut out 16 "petals", working in from the edge of the cardboard. Next, turn each petal half way round, one by one, and dust lightly with flour. Remove the cardboard from the middle.
Moisten with water and cover the middle part with poppy seeds. Decorate with a small daisy (see page 44) at the centre of the loaf. Preparation : 45 minutes. Baking : 1 hour at 220°C (428°F) with a little condensation.

PAIN-BOUQUET DE ROSES

Comme précédemment, se reporter au pain gerbe de blé. Sur un fond de pâte, disposer des tiges, des feuilles, des roses en bouquet. Fariner légèrement le pourtour du pain et appliquer le décor.

LOAF WITH BOUQUET OF ROSES

As before, see instructions for the wheatsheaf loaf. On a sheet of pastry, arrange stems, leaves, roses in a bouquet shape. Dust the edges of the loaf with flour and add the decoration.

PAIN AUX ROSES COLORÉES

Procéder comme pour le pain-bouquet de roses
sans tiges de roses.
Utiliser des colorants alimentaires.

LOAF WITH COLORED ROSES

Proceed as for the loaf with bouquet of roses,
leaving out the rose stems.
Use food colourings.

PAIN DÉCORÉ AVEC GRAPPE DE RAISIN

1ère méthode :

Prendre un gros pain-à-décorer de la veille. Préparer les feuilles de vignes, les grains de raisins et le cep de vigne (voir pages 37, 38, 36) Laisser sécher les éléments 3 ou 4 h. Ensuite, décorer le pain en commençant par le cep de vigne que l'on colle avec de la dorure ; puis coller les feuilles et former quelques grappes de raisins. Pour donner de la vie et du mouvement, relever légèrement les feuilles de vigne avec des cales de papier aluminium que l'on enlèvera après la cuisson. Cuire le tout au four à 180°C pendant 1 h. Eventuellement, couvrir de papier cuisson afin que le pain n'ait pas trop de couleur en fin de cuisson.

2e méthode :

Cuire les éléments du décor. Puis assembler le tout avec de la colle alimentaire. Disposer sur le pain.

DECORATED LOAF WITH BUNCH OF GRAPES

1st method :

Take a large loaf for decorating made the previous day. Prepare the vine leaves, the grape seeds and the vine stock (see pages 37, 38, 36). Leave the pieces to dry for 3 or 4 hours. Next, decorate the bread, starting with the vine stock which is stuck on with glaze; then add the leaves and form a few bunches of grapes. Give life and movement by raising the vine leaves slightly using wedges of aluminium foil (to be removed after baking). Bake at 180°C (356°F) for 1 hour. Can possibly be covered with aluminium paper so that the loaf does not develop too much colour.

2nd method :

Bake the decorative pieces. Then join them together with food paste. Decorate the loaf.

PAIN DE LA MOISSON

Se reporter au pain gerbe de blé (page 54). Exécuter un décor plus "fouillis".
Ajouter sur le blé un petit râteau, une faucille, des marguerites.

HARVEST LOAF

Refer to the instructions for the wheatsheaf loaf (page 54). Same decoration but more "jumbled".
Add a small rake on top of the wheat, along with a sickle and some daisies.

PAIN GERBE DE BLÉ

Faire un pain de 1,5 kg environ, cuisson normale. Saupoudrer le pourtour d'un peu de farine. Laisser rassir 24 h. Modeler les épis de blé, environ 50 pour réussir un beau décor, et quelques feuilles (voir page 40). Placez-les sur plaque et papier cuisson. Dorer le tout. Laisser sécher 3 ou 4 h.
Placer les épis sur le pain en un joli bouquet ; coller à la dorure. Ajouter les feuilles en ayant soin de relever quelques épis avec du papier aluminium pour donner un certain relief au bouquet.
Cuire le tout, une fois terminé, 45 à 50 min, four 160° à 170°C.

WHEATSHEAF LOAF

Make a loaf of around 1.5 kg (2-3¹/₂ lb) — normal baking conditions.
Dust the edge of the loaf. Leave to go stale for 24 hours. Make the ears of wheat — around 50 to achieve a rich decoration — and a few leaves (see page 40). Place them on a baking sheet and cooking paper.
Glaze all the pieces. Leave to dry for 3 or 4 hours.
Arrange the ears of wheat on the loaf, making a pretty bouquet, stick onto the glaze. Add the leaves, taking care to raise some of the ears of wheat with the help of aluminium foil to give a certain dimension to the bouquet. Once finished, bake the whole arrangement for 45-50 min at 160-170°C (320-338°F).

ALBERTVILLE

Sur un pain à décorer faire un parchemin. Abaisser à 0,5 cm.
Laisser sécher 5 h. Cuire 1 h à 160°C. Après cuisson, décorer avec le sigle désiré, ici Albertville 1992.
Colorant alimentaire pâtisserie. Saupoudrer légèrement de farine par endroits.

ALBERTVILLE

*Make a parchment on a loaf for decorating. Roll out to 0.5 cm (1/5 in). Leave to dry for 5 hours.
Bake for 1 hour at 160°C (320°F). After baking, decorate with the desired logo – in this case
Albertville 1992. Food colouring as used in cake-making. Dust in places lightly with flour.*

CANE SUR SON NID

Autour d'une boule de papier aluminium, façonner le corps du canard (pâte n° 3). Pour le cou et la tête faire un support métallique en "S" de 10 cm de largeur. Enrober une deuxième fois avec de la pâte n° 3 sur 2 cm d'épaisseur. Découper 2 ailes, les coller à la dorure. Ciseler pour imiter le plumage. Remettre le tout au four à 160°C pendant 1 h 30. Disposer sur un amas de petits rouleaux de pâte ou des branchages, représentant un nid, farinés légèrement. On peut glisser aussi deux ou trois œufs de pâte sous l'arrière de l'animal.

DUCK ON ITS NEST

Form the body of the duck around a ball of aluminium foil (dough n°3). For the neck and head, make a metallic, "S"-shaped support 10 cm wide (4 in). Cover a second time with dough n°3, 2 cm (3/4 in) thick. Cut out 2 wings and stick them to the glaze. Chip away at the surface to imitate the feathers. Place in a 160°C (320°F) oven for 1 1/2 hours. Arrange small finger-shaped pieces of dough or branches on top of each other to form a nest shape, lightly dusted with flour. 2 or 3 eggs made of dough can also be slipped behind the bird.

PANIER DE MELONS

Comme pour les paniers de fruits, le procédé est toujours le même
(voir photos et fabrication pages 28 à 31 et 42).

MELON BASKET

*The procedure is the same as for the basket of fruit (see photos
and instructions pages 28 to 31and 42).*

PANIER DE FRUITS ET LEGUMES

Comme pour le panier de fruits, le procédé est toujours le même (voir photos et fabrication
pages 28 à 31, 33 à 35, 38, 42, 57 et 59).

FRUIT AND VEGETABLE BASKET

*The procedure is the same as for the basket of fruit (see photos and instructions
pages 28 to 31, 33 to 35, 38, 42, 57, and 59).*

PANIER DE FRUITS

Faire une sorte de grosse bourse plate. Lui ajouter une anse faite de 2 boudins torsadés (voir page 42).
Modeler une grappe de raisins, deux pommes et deux poires, quelques roses et feuilles,
et assembler le tout comme débordant du panier.

FRUIT BASKET

*Make a large, flat, purse-like shape. Add a handle made with two twisted rolls of dough (see page 42).
Model a bunch of grapes, two apples, two pears, a few roses and leaves and assemble
the whole arrangement as if spilling out of the sides of the basket.*

LE PIRATE

Aplatir de la pâte inerte n° 3 de 1 cm d'épaisseur.
Découper à la grandeur d'un plateau de balance en cuivre d'environ 20 cm de diamètre (bomber).
Former les yeux, le nez, les oreilles, moustache, le tout à son idée.
Décorer humoristiquement au colorant pâtisserie.

PIRATE

Roll out some n° 3 yeastless dough to a thickness of 1 cm (1/3 in). Cut out a circle using the pan from a pair of copper scales around 20 cm (8 in) in diameter (pad out the dough to give volume). Form the eyes, nose, ears and moustache, as wished. Decorate humorously using cake colouring.

KOALA

Faire un modèle en carton. Dessiner une branche en V assez épaisse avec de la pâte inerte n° 3. Faire le corps de l'ourson d'après la grosseur de la branche. Assembler la tête, des ronds pour les oreilles et former les pattes. Cuisson à 170°C pendant 1 h 30 après un repos de 2 h. A la sortie du four, colorer le nez, l'extrémité des pattes (voir photo).

KOALA

Make a model out of cardboard. Draw out a V-shaped branch, fairly thick, using yeastless dough n° 3. Make the body of the bear cub in proportion to the size of the branch. Assemble the head, round shapes for the ears and form the paws. Bake at 170°C (338°F) for 1¹/₂ hours, having first left to rise for 2 hours. Once out of the oven, colour the nose and the tips of the paws (see photo).

CORNE D'ABONDANCE

Prévoir un support solide et un grand pain plat. Cette présentation est l'occasion de
regrouper de nombreux éléments qui ont déjà été fabriqués : branches de rosier, melons entiers
et en tranche, grappes de raisins, poireaux, botte d'asperges, feuilles de laitue,
petits pois, tresse d'ail, etc…
Voir la fabrication des composantes page 26 à 44.

HORN OF ABUNDANCE

*Prepare a sturdy support and a large flat loaf. This arrangement provides an opportunity
to reunite the various elements already made : rose branches, leeks, bunches of asparagus,
lettuce leaves, peas, strings of garlic, etc.
For instructions for making the components, see page 26 to 44.*

LA CHOUETTE DANS LA SOUCHE

Avec de la pâte inerte n° 2, préparer des grains de raisins, feuilles, ceps, sarments de vigne, le tout pour le décor du tableau. Avec 300 g de pâte inerte n° 3 faire une chouette (voir photo). Pré-cuire 30 min à 150°C. Pour le tableau, abaisser sur une épaisseur de 1,5 cm de la pâte inerte n° 3 de la grandeur d'une plaque de 60 x 40. Faire le pourtour du cadre de 1,5 cm d'épaisseur et de 4 cm de large. Coller à la dorure. Mouiller le cadre à l'aide d'un pinceau et faire des sillons avec une fourchette pour imiter les nervures du bois. Laisser reposer 2 h. Mettre au four à 160°C pendant 45 min. Laisser refroidir. Mettre une fine couche de colle alimentaire sur le fond du tableau et composer le décor. Glisser du papier aluminium sous les éléments du décor pour donner du relief au tableau. Colorer avec un peu de moka dilué et passer la gélatine au pinceau.

THE OWL IN THE TREE STUMP

Using yeastless dough n° 2, prepare grape seeds, leaves, vine stock and stems to serve as decorations for the picture. With 300 g (10$\frac{1}{2}$ oz) of yeastless dough n° 3, make an owl (see photo), pre-bake for 30 minutes at 150°C (302°F). For the picture, roll out some yeastless dough n° 3 to the width of a 60 X 40 cm (23$\frac{1}{2}$ X 15$\frac{3}{4}$ in) baking sheet, 1.5 cm (1/2 in) thick. Form the edge of the frame — 1.5 cm (1/2 in) thick and 4 cm (1$\frac{1}{2}$ in) wide. Stick to glaze. Moisten the frame using a brush and trace grooves using a fork to imitate the veins of the wood. Leave to rise for 2 hours. Bake in the oven at 160°C (320°F) for 45 minutes. Leave to cool. Spread a thin layer of food paste onto the back of the picture and arrange decoration. Place aluminium paper under the decorative elements to give depth to the picture. Colour with a little diluted mocha and coat with gelatine using a brush.

LA MARMITE SUR LE FEU

Faire un pain-surprise (pain de campagne évidé) : cuire dans un cercle de 10 à 12 cm de haut
et 25 cm de diamètre, four 200°C avec buée, pendant 1 h/1 h 15. Démouler chaud. Faire 2 anses,
et une troisième plus grosse pour le couvercle. Décorer selon son goût : ail ou légumes.
Il est possible aussi de rajouter un manche.
Pour fabriquer le trépied, découper des lanières de 0,5 cm d'épaisseur et 3 cm de large.
Cuisson 160°C pendant 1 h. Assembler à la colle alimentaire pour plus de solidité
sur un plateau circulaire. Colorer et décorer à volonté.

COOKING-POT ON THE STOVE

*Make a surprise loaf (hollowed out bread) : bake in a circle 10-12 cm (4-5 in) high and 25 cm (10 in) in
diameter at 200°C (312°F) with condensation for 1¹/₄ hours. Turn out of mould while hot.
Make two handles, one bigger than the other for the top. Decorate according to taste : garlic or vegetables.
A handle can be added.
To make the tripod, cut out strips 0.5 cm (1/5 in) and 3 cm (1 in) wide. Bake at 160°C (320°F) for 1 hour.
Stick together using food paste on a round tray. Colour and decorate as wished.*

VASE-AMPHORE

Se reporter à la fabrication de la corne d'abondance (page 31). Conserver, bien sûr, une forme cônique droite. Fabriquer un socle pour la stabilité. Ajouter 2 anses torsadées sur les côtés (voir fabrication page 42). Décorer selon souhait avec véritables tiges de blé, fleurs, etc.

AMPHORA VASE

See instructions for making the horn of abundance (page 31). Keep the straight, cone-shape and make a support to hold stable. Add two twisted handles on the sides (see instructions on page 42). Decorate according to taste with real wheat stalks, flowers, etc.

BRANCHES DE ROSES EN MÉDAILLON

Faire un plateau comme celui de la chouette, mais de 1,5 cm d'épaisseur et de forme ovale. Cuire environ 1 h 30 à 160°C. Préparer une branche, des roses, des feuilles, assembler le tout à la colle alimentaire. Faire un joli décor. Passer au four 10 min à 150°C. Laisser refroidir. Passer un léger nuage de vernis incolore en bombe.

ROSE BRANCH ARRANGEMENT

For the platter, follow the same procedure as for the owl picture, only this time to a thickness of 1.5 cm (1/2 in). Bake for around 1 1/2 hours at 160°C (320°F). Prepare a branch, roses and leaves, join the different elements together using food paste. Make an attractive decoration. Place in the oven for 10 minutes at 150°C (302°F). Leave to cool. Spray on a small amount of colourless varnish.

GERBE DE BLÉ EN MÉDAILLON

Faire un plateau ovale (même procédé que pour le tableau de la chouette
et les branches de roses pages 63 et 66).
Décorer d'une volumineuse gerbe de blé. Pour sa fabrication se reporter aux explications
pages 26, 27 et 41.
Léger nuage de vernis incolore une fois refroidi.

WHEATSHEAF ARRANGEMENT

*Make an oval-shaped platter (same procedure as for the picture of the owl and the rose branches pages 63
and 66). Decorate with a large wheatsheaf. To make the latter, refer to the instructions on pages 26, 27
and 41. Spray on a small amount of colourless varnish once cold.*

"AMBIANCE VIGNERONNE"

Faire un plateau ovale comme précédemment (page 66 et 67). Décorer à volonté de ceps et de feuilles de vignes et de belles grappes de raisin. Se reporter aux explications des pages 36, 37, 38 et au pain décoré page 52. Donner du volume à la présentation. Vernir à la bombe (vernis marine incolore).

"VINEYARD AMBIANCE"

Make an oval platter as explained earlier (pages 66 and 67). Decorate as wished with vine stock and leaves and large bunches of grapes. See instructions on pages 36, 37, 38, and the decorated bread on page 52.
Give volume to the arrangement. Spray on colourless naval varnish.

PLATEAU DE MELONS

Même procédé que pour le plateau de la chouette et pour les branches de roses. Préparer melons, tranches de melon, feuilles. Faire une jolie présentation. Colorer selon son goût.

PLATTER OF MELONS

Same procedure as for the owl picture and rose branches. Prepare the melons, melon slices, leaves. Present attractively. Colour according to taste.

MON BRÉVIAIRE

Pour la forme du moule, voir photo. Chemiser le moule avec le papier cuisson.
Mouler avec de la pâte inerte n° 3. Cuisson 1 h four à 170°C.
Pour fabriquer le chevalet, découper un fond qui servira d'assise au chevalet. Pour ce dernier,
découper des bandes de 4 à 5 cm de large et 1,5 cm d'épaisseur. Cuire 2 h à 170°C.
Faire un tuteur pour l'inclinaison du chevalet et 2 clous (en pâte) pour retenir le livre. Procéder pour les
couleurs comme pour les tableaux. Ne pas oublier de faire une encoche dans le socle pour retenir le tuteur.
Décorer à volonté et passer à la gélatine.

MY BREVIARY

For the mould shape, see photo. Line the mould with cooking paper and fill with yeastless dough n° 3.
Bake for 1 hour at 170°C (338°F). To make the easel, cut out a base which will act as its foundation.
To make this, cut out strips 4-5 cm (1¹/₂-2 in) wide and 1.5 cm (1/2 in) thick.
Bake for 2 hours at 170°C (338°F).
Make a support for the slanting part of the easel and 2 nails (made of dough) to hold the book.
Colour as for the pictures. Do not forget to make a notch in the stand to hold the support.
Decorate as wished and coat with gelatine.

LE VIOLON

Aplatir de la pâte inerte n° 3 à 0,5 cm d'épaisseur. Puis, avec un gabarit en fer (on aura eu soin de le faire confectionner aux normes de la pièce à exécuter), découper :

1er : le pourtour du violon que l'on cuit 35 min à 170°C, 2e : le fond, 3e : le dessus sur lequel on taillera les ouïes ou éclipses : pour cette partie-là, soulever la pâte de 1,5 cm avec du papier aluminium pour marquer le renflement du corps du violon. Cuire les 2 parties pendant 1 h à 170°C.

Lorsque ces 3 parties sont cuites, les assembler à la colle alimentaire. Avec la même pâte, confectionner la mécanique du violon ainsi que l'archer. Avant de fixer les accessoires, passer le corps du violon au moka avec un pinceau. Sécher au four pendant 10 min à 160°C.
Pour lui donner la teinte bois, passer au pinceau de la gélatine chaude.

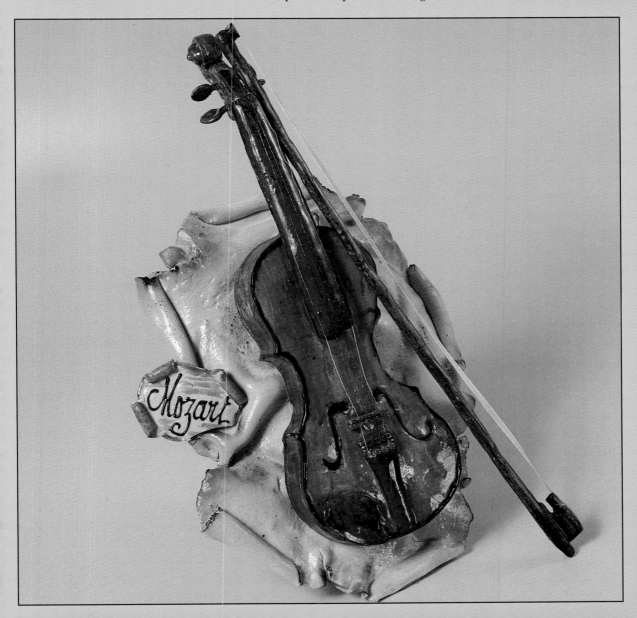

VIOLIN

Roll out some n° 3 yeastless dough to a thickness of 0.5 cm (1/5 in) and cut out pieces using an iron template (made in advance according to the desired measurements of the finished piece), cut out :

1st : the edges of the violin, to be baked for 35 minutes at 170°C (338°F). 2nd : the back piece, 3rd : the top piece and then the sound holes or eclipses : for this part, raise the dough to a height of 1.5 cm (1/2 in) with aluminium foil to form the curved surface of the violin. Bake the 2 parts for 1 hour at 170°C (338°F).

When the three parts are baked, join them together with food paste. Using the same dough, form the neck and mechanical parts of the violin and the bow. Before fixing on the accessories, brush the main part of the violin with mocha. Dry out in the oven for 10 minutes at 160°C (320°F).
To create a wood-like colour, brush with hot gelatine.

UN MAS EN PROVENCE

Découper dans un carton un modèle qui vous servira de patron. Bien noter l'emplacement des ouvertures : portes et fenêtres.
Avec la pâte inerte n° 3 de 1 cm d'épaisseur, confectionner les 4 murs et dépendances séparément. Cuire à 160/170°C pendant 2 h dans un four à sole fixe.
Faire un enduit et l'étaler à la main sur toutes les façades. Passer au four à l'arrêt préchauffé à 180°C. Monter et coller les parois à la colle alimentaire.
Avec cette même pâte, confectionner les volets et les portes. Pour la toiture, confectionner des poutres toujours avec la même pâte. Elles recevront à leur tour une abaisse de pâte : même cuisson que précédemment mais l'épaisseur est de 0,5 cm. Cette abaisse recevra les tuiles.

Pour les tuiles, découper, toujours dans la même pâte (n° 3), des petits rectangles de 2 cm de long sur 1 cm de large d'un côté et 0,5 cm de l'autre afin de donner l'aspect d'une tuile. Les incurver en les posant sur un tuyau de cuivre de 1 cm de diamètre environ, très légèrement graissé. Cuire au four à 170°C pendant 15 à 20 min. Les teinter très légèrement avec du colorant pâtissier : jaune, ocre et marron.

Modeler en pâte des imitations de pierres de taille à empiler pour le bas des murs et le tour des fenêtres et portes. De même faire des dalles pour la terrasse.
Cuire 45 min à 160°C, sur plaque et sans couleur. Refaire un deuxième enduit coloré au moka. Tapoter avec une éponge pour rendre l'enduit un peu grossier. Mettre au four 20 min à 130°C.
Coller portes et fenêtres.
Décorer à volonté.
Placer les tuiles en les chevauchant et les coller légèrement avec la colle alimentaire.

PROVENCAL FARMHOUSE

Cut out a cardboard model which will act as a stencil. Note carefully the location of all openings : doors and windows.
Using yeastless dough n° 3, 1 cm (1/3 in) thick, make the 4 walls and outbuildings separately. Bake at 160/170°C (320-338°F) for 2 hours in an oven with a fixed hearth.
Make a coating and spread on to all sides of the house by hand. Bake at 180°C (356°F) in an oven which has been switched off.
Assemble the walls and stick together with food paste.
Make shutters and doors with the same dough. Make beams for the roofing and cover these with a layer of rolled out dough : same baking conditions as before, only this time with a thickness of 0.5 cm (1/5 in). The layer of rolled out dough will support the tiles.

For the tiles, cut out small rectangles using dough n° 3, 2 cm (1/3 in) long, 1 cm (3/4 in) wide at one end and 0.5 cm (1/5 in) wide at the other, to give the appearance of a tile. Give them a curved shape by placing on a copper tube, around 1 cm (3/4 in) in diameter, lightly greased. Bake in the oven at 170°C (338°F) for 15 to 20 minutes. Colour lightly using cake colouring : yellow, ochre and brown.

Using dough, make imitation cut stone slabs for stacking along the bottom of the walls and around the edges of the windows and doors. In the same way, make paving stones for the terrace. Bake for 45 minutes at 160°C (320°F) – place on a baking sheet beforehand and do not colour. Make a second coating coloured with mocha. Dab with a sponge to give the coating a coarse aspect. Bake for 20 minutes at 130°C (266°F).
Stick on the doors and windows.
Decorate according to taste.
Position the tiles one overlapping the other and stick on using small amounts of food paste.

THE EIFFEL TOWER
(to a scale of 1/500)

Entry in the M.O.F. contest in 1989.

Make a cardboard template to the dimensions of the Eiffel Tower — 23 cm x 60 cm (9 in x 23³/4 in) by 4 sides. Cover this "mould" with cooking paper, glued and lined inside with pressed paper to avoid any deformation during cooking. Then make the 4 sides (as far as the second level) and cook them, joining them together with a thin strip of dough. To prevent the dough from drying out, place each side in the freezer as soon as it is finished.

To make the Eiffel Tower, prepare a plan of the structure, fix it carefully on a board and proceed as for the mounting of scale models of aircraft etc.

Bake (in a rotating oven) at 180°C (338°F), switched off, for 45 minutes. The edges of the different stages should be baked separately, as should the inside of the tower, and stuck on with food paste.

The basic bread is made of yeasted dough with wholewheat flour, for the densest texture possible.

The loaf measures 57 cm (22¹/2 in) in diameter and 18 cm (7 in) in height (plus decoration). The bread pieces acting as decorations are around 4 cm (1¹/2 in) thick. They symbolically represent the pebbles, (enlarged for the purpose), to be found around the edifice.

I wanted the art of bakery to be present in this part through the addition of decorative wheat sheaves.
Some n° 3 dough, cooked and ground, represents the gravel under the edifice.
It was my wish that this 100 year-old lady should be decorated with flowers for her centenary. I made her a crown of flowers and the wheatsheaves around the sides remain a powerful symbol of our profession.

LA TOUR EIFFEL
(au 1/500e)

Sujet du concours de M.O.F. 1989

Réaliser à l'aide de carton un gabarit aux cotes de la tour Eiffel 23 cm x 60 cm par 4 faces. Recouvrir ce "moule" de papier cuisson, encollé et garni à l'intérieur de papier pressé pour éviter toute déformation à la cuisson. Ensuite, réaliser 4 faces (jusqu'au 2e plancher) et les cuire en les reliant avec un fin ruban de pâte. Pour éviter le séchage de la pâte, mettre chaque face au congélateur au fur et à mesure de la réalisation.

Pour la réalisation de la tour Eiffel, avoir un plan de l'ouvrage, le fixer soigneusement sur une planche et procéder comme pour le montage des modèles réduits d'avions ou autres...

Cuire (au four rotatif) à 180°C, à l'arrêt, pendant environ 45 min. Les pourtours des étages sont cuits séparément ainsi que l'intérieur de la tour. Le tout est collé à la colle alimentaire.

Le pain de base est fabriqué en pâte au levain, farine complète pour la texture la plus serrée.

Le pain a une dimension de 57 cm de diamètre et de 18 cm de haut (plus le décor). Les petits pains servant à la décoration ont une épaisseur d'environ 4 cm. Ils représentent symboliquement les galets, agrandis pour la cause, figurant autour de l'édifice.

J'ai voulu que la boulangerie soit présente dans cette partie en décorant de gerbes de blé. De la pâte n° 3 cuite et broyée représente sous l'édifice le parterre de gravier. Je désirais que cette dame de 100 ans, soit fleurie pour son centenaire, j'ai donc confectionné autour d'elle une couronne de fleurs. Les gerbes de blé du pourtour sont toujours le puissant symbole de notre profession.

LE MOULIN DE DAUDET

Faire un gabarit, comme pour le mas provençal : soit en carton, soit en tôle. Recouvrir de pâte de 0,5 cm d'épaisseur. Même procédé. Cuire la pièce à 170°C pendant 1 h. Ensuite, enduire et recuire 30 min à 150°C. Avec un carton épais, faire le toit du moulin ; le recouvrir avec des bandelettes de pâte de haut en bas. Retirer le carton du toit après cuisson. Faire un petit mur en pierre pour séparer le corps du moulin et la toiture (voir page 73). Laisser une ouverture sur la base du toit pour fixer le support des ailes, que l'on fera avec un boudin de pâte.
Les ailes seront confectionnées avec des bandelettes de 0,5 cm d'épaisseur (voir photo) et cuites à 160/170°C pendant 45 min. Colorer de la même façon que la toiture, avec du moka.

DAUDET'S MILL

Make a template, as for the Provencal farmhouse, from cardboard or sheet metal. Cover with pastry, 0.5 cm (1/5 in) thick. Same procedure. Bake the piece at 170°C (338°F) for 1 hour, then coat and bake for another 20 minutes at 150°C (302°F). Using a piece of thick cardboard, make the roof of the mill, cover with strips of pastry from top to bottom. Remove the cardboard from the roof after baking. Make a small stone wall to separate the main part of the mill and the roofing (see page 73). Leave an opening at the base of the roof to fix on the support for the sails — this should be made out of a roll of pastry. The sails are made with strips of pastry 0.5 cm (1/5 in) thick (see photo) and bakedat 160-170°C (320-338°F) for 45 minutes. Colour in the same way as the roofing using mocha.

REMERCIEMENTS

Mes remerciements à

Monsieur Jean Paquet et Monsieur Jacques Charrette,
pour leurs encouragements et leur aide,

Madame Jacqueline Auzet,
pour son dévouement et sa patience légendaire,
mes fils Gérard et Bernard,

Monsieur Jean-Pierre Chalangeas, mon éditeur,
pour ses précieux conseils et sa tolérance,

Mademoiselle Janice Herrmann pour sa compétence,
son soutien et son amabilité à toutes épreuves,

Monsieur Jean Courbon et Monsieur Gérard Maré,
pour leur efficacité et la qualité de leurs illustrations,

Monsieur Alain Maitre, pour son aide et Mademoiselle
Rebecca Reid pour son travail de traduction,

tous les amis qui, de près ou de loin, m'ont encouragé
à poursuivre cet ouvrage,
ainsi que mes amis les boulangers MOF
de l'équipe de France de boulangerie.

 # ACKNOWLEDGEMENTS

My thanks go to

Mr. Jean Paquet and Mr. Jacques Charrette,
for their encouragement and assistance,

Mrs. Jacqueline Auzet,
for her devotion and legendary patience,
and my sons Gérard and Bernard,

Mr. Jean-Pierre Chalangeas, my editor,
for his invaluable advice and tolerance,

Miss Janice Herrmann for her competence,
support and unfailing kindness,

Mr. Jean Courbon and Mr. Gérard Maré,
for their efficiency and the quality of their illustrations,

Mr Alain Maitre for his help and
Miss Rebecca Reid for translating the book,

and all those friends, both near and far, who have
encouraged me to pursue this work,
my baker friends from the "Best French Craftsman"
and the French bakery team.

Maquette   G. Amalric

Photographie J. Courbon (les composantes :
         pages 28 à 38 et 41 à 45)
         G. Maré, studio Makila, (pains terminés :
         pages 26, 27, 40, 41, 48 à 62, 64 à 73
         et 76)

Responsable d'édition J. Herrmann

Editeur J.-P. Chalangeas

Artwork G. Amalric

Photography J. Courbon (various elements
         pages 28 to 38 and 41 to 45)
         G. Maré, Studio Makila, (finished breads :
         pages 26, 27 , 40 ,41, 48 to 62, 64 to 73
         and 76)

Project Editor J. Herrmann

Editor J.-P. Chalangeas

Ouvrages déjà parus

BOULANGERIE/PATISSERIE

LE COMPAGNON PATISSIER t1 et t2
de Daniel Chaboissier
"Grand prix du meilleur ouvrage 1983"
de l'Académie nationale de cuisine.

LE COMPAGNON BOULANGER
(synthèse technologique et pratique du boulanger moderne)
de Jean-Marie Viard
"Prix du meilleur ouvrage 1984"
de l'Académie nationale de cuisine.

L'ENCYCLOPEDIE DES DECORS
de Daniel Chaboissier et Armand Jost
"Grand prix du meilleur ouvrage 1986"
de l'Académie nationale de cuisine.

LE GOUT DU PAIN
de Raymond Calvel
"Grand prix du meilleur ouvrage professionnel 1990"
de l'Académie nationale de cuisine.

LA FANTAISIE DES CROQUEMBOUCHES
de Daniel Chaboissier, Armand Jost et Yves Pegorer
"Prix de littérature culinaire 1992"
de l'Académie nationale de cuisine.

LE TRAVAIL DU SUCRE
de Jean Creveux
"Ruban bleu de l'enseignement" d'Intersuc 1992.
"Prix de littérature culinaire 1992"
de l'Académie nationale de cuisine.

VINS

ŒNOLOGIE ET CRUS DES VINS
de Roger Piallat et Patrick Deville
"Mention spéciale du Jury 1984"
de l'Académie nationale de cuisine.

BOUCHERIE/CHARCUTERIE

LE COMPAGNON CHARCUTIER t1 et t2
sous la direction de Jean-Claude Frentz
"Prix du meilleur ouvrage 1986"
de l'Académie nationale de cuisine.

LE COMPAGNON TRAITEUR t1 et t2
de Jacques Charrette et Guy Aubert

CUISINE

METHODE DE TECHNOLOGIE CULINAIRE t1 et t2
(version "professeur" et version "élève"
destinée à être complétée avec l'aide du professeur)
de Jean-Pierre Sémonin
"Prix du meilleur ouvrage 1983"
de l'Académie nationale de cuisine.

VINGT PLATS QUI DONNENT LA GOUTTE
de Edouard de Pomiane
Co-édition Ph. Fraisse/Jérôme Villette

LA CUISSON SOUS VIDE
de Alain Poletto
"Prix de la meilleure technique nouvelle 1990"
de l'Académie nationale de cuisine.

LES TOURS DE MAIN DE LA CUISINE
de Jean-Pierre Sémonin
"Grand prix du meilleur ouvrage d'enseignement 1990"
de l'Académie nationale de cuisine.

LA CUISINE DES POISSONS D'EAU DOUCE
de Jean-Pierre Sémonin et Jean-Claude Dupont
"Grand prix de littérature culinaire 1992"
de l'Académie nationale de cuisine.

Achevé d'imprimer en France sur les presses de Publiphotoffset, Pantin
Dépôt légal décembre 1992